# Sonhos e disciplina

Pilotando a aeronave mental

# AUGUSTO CURY
**O PSIQUIATRA MAIS LIDO DO MUNDO**

## Sonhos e disciplina
### Pilotando a aeronave mental

Principis

Esta é uma publicação Principis, selo exclusivo da Ciranda Cultural
© 2021 Ciranda Cultural Editora e Distribuidora Ltda.

Texto
© Augusto Cury

Editora
Michele de Souza Barbosa

Revisão
Fernanda R. Braga Simon

Diagramação
Linea Editora

Produção editorial
Ciranda Cultural

Design de capa
Ana Dobón

Imagens
Mehdi Photos/shutterstock.com

Dados Internacionais de Catalogação na Publicação (CIP) de acordo com ISBD

| | |
|---|---|
| C982c | Cury, Augusto |
| | Sonhos e disciplina: Pilotando a aeronave mental / Augusto Cury. - Jandira, SP : Principis, 2021. |
| | 64 p. ; 15,50cm x 22,60cm. (Augusto Cury) |
| | ISBN: 978-65-5552-693-6 |
| | 1. Autoajuda. 2. Desenvolvimento. 3. Psicologia. 4. Autonomia. 5. Autoconhecimento. I. Título. |
| 2021-0288 | CDD 158.1 |
| | CDU 159.92 |

Elaborado por Lucio Feitosa - CRB-8/8803

Índice para catálogo sistemático:
1. Autoajuda : 158.1
2. Autoajuda : 159.92

©2021 Dreamsellers Pictures Ltda.
www.augustocury.com.br

1ª edição em 2021
www.cirandacultural.com.br
Todos os direitos reservados.
Nenhuma parte desta publicação pode ser reproduzida, arquivada em sistema de busca ou transmitida por qualquer meio, seja ele eletrônico, fotocópia, gravação ou outros, sem prévia autorização do detentor dos direitos, e não pode circular encadernada ou encapada de maneira distinta daquela em que foi publicada, ou sem que as mesmas condições sejam impostas aos compradores subsequentes.

*Dedico este livro a alguém especial.*

*Que você capacite seu Eu para ser autor de sua história e gerenciar sua mente.*

*Se treinar, não tenha medo de falhar. E, se falhar, não tenha medo de chorar.*

*E, se chorar, corrija suas rotas, mas não desista.*

*Dê sempre uma nova chance para si e para quem ama. Só adquire maturidade quem usa suas frustrações para alcançá-la.*

# Sumário

**1** Sonhos e disciplina: pilotando a aeronave mental  11

**2** Vilões que destroem sonhos e disciplina  21

**3** Sonhos sem disciplina: a fórmula do insucesso  27

**4** A dor se tornou minha doce mestra  37

**5** Resiliência  49

Referências  59
Sobre o autor  61

# Capítulo 1

# Sonhos e disciplina: pilotando a aeronave mental

## Ter disciplina é:

- Aprender a ter garra, determinação, metas de vida.
- Desenvolver uma rotina saudável para trabalhar, dormir, ter lazer, viver.
- Aprender a fazer escolhas e saber que todas as escolhas implicam perdas.
- Lidar com perdas e frustrações e saber que não há céus sem tempestades.
- Dormir o suficiente para repor as energias física e psíquica gastas no dia anterior.

## Ter sonhos é:

- Elaborar projetos de vida que controlam a emoção.
- Saber que sonhos não são desejos; desejos são intenções superficiais.
- Planejar o futuro: pensar a médio e longo prazos.

- Superar a necessidade neurótica do mecanismo de recompensa imediata.
- Compreender que sonhos sem disciplina produzem pessoas frustradas; disciplina sem sonhos produz autômatos, que só obedecem a ordens.

## A aeronave mental tem um péssimo piloto

Você teria coragem de subir num avião e fazer uma longa viagem sabendo que o piloto tem poucas horas de voo, ou seja, quase não tem experiência? Relaxaria se soubesse que ele desconhece os instrumentos de navegação? Dormiria se ele não tivesse habilidades para se desviar de rotas turbulentas, com alta concentração de nuvens e de descargas elétricas?

Fiz essas simples perguntas para cerca de 300 coordenadores, reitores e pró-reitores de faculdades do País, que representavam um universo de mais de 100 mil alunos universitários, numa conferência sobre *A educação do século XXI*.

É óbvio que todos responderam que se sentiriam completamente desconfortáveis. Muitos nem sequer ousariam pisar nessa aeronave. Então, surpreendi-os ao afirmar que embarcamos diariamente na mais complexa das aeronaves, comandada por um piloto frequentemente despreparado, mal equipado e mal educado e, portanto, sujeito a causar inúmeros acidentes. A aeronave é a mente humana, e o piloto é o Eu.

Se você entrar num avião de última geração, ficará perplexo(a) com a quantidade de instrumentos de apoio à navegação. Mas de que adiantam tais instrumentos se o piloto não sabe usá-los? De que adianta o Eu ter recursos para dirigir o psiquismo ou o intelecto se, durante o processo de formação da personalidade, não aprende o básico sobre esses instrumentos nem desenvolve as mínimas habilidades para operá-los?

## Desenvolver o Eu é vital para ter sonhos e disciplina

Estamos na era primitiva da compreensão sobre os papéis e a estruturação da mente. Suas funções mais básicas não são trabalhadas pelo sistema acadêmico. Nosso Eu nem sequer exerce controle de qualidade sobre os pensamentos perturbadores e antecipatórios, sobre a ansiedade, a impulsividade, a intolerância, o radicalismo, o extremismo. Não qualifica emoções fóbicas, angústia, raiva, ódio, inveja, ciúmes, irritabilidade e impaciência.

Você conhece as emboscadas produzidas pelos fenômenos psíquicos? Seu Eu é um bom protetor da sua emoção? É qualificador dos seus pensamentos ou os deixa soltos, esperando que se dissipem espontaneamente? Tem consciência de que a abertura e o fechamento das *janelas da memória* podem produzir uma masmorra psíquica mais dramática do que a de um presídio de segurança máxima?

Uma empresa, por menor que seja, precisa de um gerente financeiro e de gestão de qualidade de seus produtos e processos; caso contrário, poderá ir à falência. Mas, por incrível que pareça, a mais complexa das empresas, a mente humana, não possui um(a) executivo(a) maduro(a), um(a) gerente atuante. Não é à toa que grande parte das pessoas tem uma série de sintomas psíquicos e psicossomáticos que indicam e até gritam que a "empresa psíquica" está indo à bancarrota. E elas quase nada fazem para reciclar sua vida.

Tenho apontado em meus livros, tanto nos de não ficção como nos romances: o sistema social está doente, formando pessoas doentes, para uma sociedade doente. O grande desafio das escolas – do ensino fundamental à universidade – não é preparar pessoas para o mercado de trabalho, mas prepará-las para o "mercado psíquico". Ninguém brilhará no teatro social se primeiramente não brilhar como pensador no teatro psíquico.

Brilhantes pensadores, como Sócrates, Platão, Aristóteles, Spinoza, Hegel, Marx, Freud, Einstein, Jung, Skinner, Piaget e Gardner, não tiveram a oportunidade de estudar os papéis do Eu. Eles intuitivamente construíram brilhantes ideias, mas a compreensão do Eu como gestor psíquico ficou obscura.

Se estudarmos os papéis do Eu e potencializarmos suas habilidades, teremos mais possibilidades de reciclar nossa história:

- Seremos menos deuses e mais humanos.
- Teremos menos necessidade de evidência social e mais necessidade de contemplar as coisas simples.
- Seremos menos assaltados pela necessidade neurótica de poder e teremos mais necessidade de contribuir para os outros no anonimato.
- Julgaremos menos e abraçaremos mais.
- Cobraremos menos de nós mesmos e dos outros e nos doaremos mais.
- Seremos mais flexíveis e menos radicais.
- Falaremos mais de nós mesmos, sem medo de sermos tachados de loucos, insanos, débeis.
- Seremos mais ousados para libertar o imaginário e propor ideias e menos servos da timidez.
- Seremos menos vítimas das angústias, fobias, inseguranças e mais promotores do júbilo e da liberdade.
- Pensaremos mais como espécie e menos como indivíduos.

A aeronave é a mente humana, e o piloto é o Eu.

## Paradoxos de um Eu imaturo

Freud e alguns teóricos do passado diziam que, nos primeiros anos de vida, em especial até os cinco, seis ou sete anos, vivenciamos os traumas que serão a base dos transtornos psíquicos no futuro. E esses traumas não poderão ser modificados, a não ser por processos terapêuticos. Mas, à luz da compreensão do Eu como autor da própria história e do sofisticadíssimo processo de construção dos pensamentos, podemos adoecer em qualquer época, mesmo tendo vivido uma infância saudável. Podemos ser frustrados nas mais diversas áreas por não aprendermos a lutar por nossos projetos de vida.

Mas tenho uma grande notícia para você! Embora seja uma tarefa complexa, podemos reciclar nossas mazelas psíquicas, reescrever as *janelas da memória* em qualquer época e reconstruir nossa história. Ninguém é obrigado ou condenado a conviver com seus conflitos, fobias, impulsividade, ansiedade, pessimismo, timidez, complexo de inferioridade, comportamento autopunitivo ou destrutivo.

Infelizmente, porém, o Eu da maioria das pessoas é inerte, passivo, frágil, conformista.

E seu Eu, é conformista ou líder de si mesmo?

Se o Eu não desenvolver certas habilidades complexas, algumas das dez consequências graves relacionadas a seguir podem vir à tona:

1. Ser doente quando adulto(a), ainda que tenha tido um processo de formação da personalidade na infância sem traumas relevantes.
2. Ser encarcerado(a) dentro de si, ainda que seja rico(a), viaje o mundo e viva em sociedades livres.
3. Ser frágil e desprotegido(a) diante das contrariedades, mesmo que tenha guarda-costas e faça todo o tipo de seguro: casa, vida, empresarial.

4. Bloquear a produção de novas ideias e de respostas inteligentes no ambiente socioprofissional, ainda que tenha um potencial criativo excelente.
5. Ser autodestrutivo(a), ainda que seja bom/boa para os outros.
6. Causar bloqueios no psiquismo dos filhos ou alunos, ainda que seja um(a) pai/mãe apaixonado(a) pelos filhos ou um(a) professor(a) eloquente.
7. Dilacerar seus romances, mesmo tendo jurado que encontrou o parceiro ou a parceira da sua vida.
8. Ter desejos ou intenções superficiais e não sonhos como projetos de vida.
9. Ser instável, mentalmente preguiçoso(a), lento(a), desanimado(a) e não ter disciplina.
10. Não unir sonhos com disciplina como fórmula de ouro para ter sucesso profissional, acadêmico, afetivo e social.

E seu Eu, é conformista ou líder de si mesmo?

# Capítulo 2

# Vilões que destroem sonhos e disciplina

Ninguém é tão importante como os professores no teatro social, embora a débil sociedade não lhes dê a importância que merecem. Mas o sistema em que eles estão inseridos é estressante e não forma coletivamente seres humanos com consciência de que possuem um Eu. Muito menos de que esse Eu é constituído por mecanismos sofisticadíssimos, que deveriam desenvolver funções vitais nobilíssimas, sem as quais o indivíduo poderá ficar completamente despreparado para pilotar o aparelho mental, em especial quando acometido por um transtorno psíquico grave, como dependência de drogas, depressão e ansiedade crônica. E, uma vez despreparado, será conduzido pelas tempestades sociais e pelas crises psíquicas. Será um barco à deriva, sem leme.

Um Eu malformado terá grandes chances de ser imaturo, ainda que seja um gigante na ciência; sem brilho, ainda que seja socialmente aplaudido; viverá de migalhas de prazer, ainda que tenha dinheiro para comprar o que bem desejar; engessado, ainda que tenha grande potencial criativo.

*O que seu Eu faz com as turbulências emocionais? Deixa-as passar, desvia-se delas ou as enfrenta?*

Se fôssemos pilotos de avião, a melhor conduta talvez fosse desviarmo-nos das formações densas de nuvens, mas, como pilotos mentais, essa seria a pior atitude, embora seja a comumente adotada.

Em primeiro lugar, porque é impossível o Eu fugir de si mesmo. Em segundo, porque, se exercitar a paciência para deixar as emoções angustiantes se dissipar espontaneamente para seguir em frente, o Eu cairá na armadilha da autoilusão. A paciência, tão importante nas relações sociais, será péssima se significar omissão do Eu em atuar no gerenciamento das dores e dos conflitos psíquicos. Eles se dissiparão apenas aparentemente. Serão arquivados no córtex cerebral (camada mais evoluída do cérebro) e farão parte das matrizes de nossa personalidade. Atuar é a palavra-chave!

Em terceiro lugar, porque poderão formar *janelas traumáticas killer duplo P* (com duplo poder: de encarceramento do Eu e de expansão da janela doentia). Essas janelas aprisionam e desestabilizam o Eu como gerente da mente humana.

## A dependência de drogas destrói sonhos e disciplina

Quantas vezes as pessoas prometem que irão abandonar o uso de álcool/drogas e traem suas intenções? Essas traições nem sempre ocorrem porque elas não estavam sendo sinceras, mas porque caíram nas armadilhas das *janelas killer duplo P*, onde estava armazenada a representação do efeito das drogas.

Essas janelas libertam um volume de tensão que bloqueia milhares de outras janelas saudáveis, levando o Eu a não dar uma resposta inteligente capaz de respeitar sua decisão. Como o Eu não é autor da própria história, o desejo de usar uma nova dose de droga ou de bebida alcoólica controla a pessoa, vence sua decisão.

O Eu deveria saber usar instrumentos para o enfrentamento e reciclagem das tensões, angústias e mazelas emocionais. Mas as escolas do mundo todo não nos ensinam a usar esses instrumentos ou ferramentas.

Os medos ou fobias vêm e aparentemente vão embora depois de minutos ou horas, mas nos enganamos: eles não vão embora, ficam depositados nos bastidores da memória e pouco a pouco vão desertificando o território da emoção.

## Fobias que aprisionam o Eu

A fobia é uma aversão irracional por determinadas coisas, como insetos, elevadores (claustrofobia), falar em público (fobia social). A dependência de drogas, por sua vez, é uma atração irracional por uma substância. Tanto uma como a outra dependem das *janelas killer duplo P*, produzidas por um registro superdimensionado de experiências doentias. Depois que essas janelas se instalam e se expandem, cristaliza-se a dependência psicológica.

A partir daí, o verdadeiro monstro não é mais a droga química, mas o arquivamento das experiências nos bastidores da mente. Esses arquivos controlam o Eu e "assombram" o usuário de dentro para fora. Veremos que as *janelas killer* não podem ser deletadas, apenas reeditadas. Por isso, superar a dependência não é uma tarefa simples ou mágica; é muito mais do que se afastar das drogas. Depende de treinamento, educação, psicoterapia.

E que tipo de atitude o Eu toma diante do humor depressivo que esmaga o encanto pela existência? E dos estímulos estressantes que nos tiram do ponto de equilíbrio? E dos pensamentos antecipatórios, da ansiedade e da irritabilidade?

Infelizmente, o Eu é treinado para ficar calado no único lugar em que não deveria ficar quieto. É adestrado para ser submisso no único lugar em que não poderia ser um servo. É aprisionado no único ambiente em que só é inteligente, saudável e feliz quem é livre.

*O seu Eu cala-se ou grita dentro de você?*
*É líder ou servo dos seus pensamentos perturbadores?*

# Capítulo 3

# Sonhos sem disciplina: a fórmula do insucesso

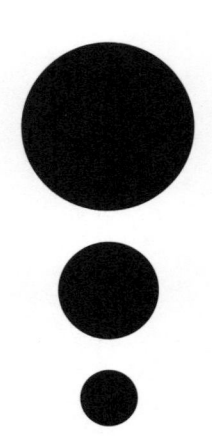

## Duas ferramentas que nunca podem estar separadas

Não podemos nos esconder atrás dos sucessos passados nem atrás das necessidades neuróticas de poder, de evidência social e de estarmos sempre certos. Precisamos ser transparentes.

Quem não é transparente não reedita o filme do inconsciente, não reescreve sua história, leva para o túmulo seus conflitos. Por quê? Porque se o Eu não contatar e esquadrinhar as janelas traumáticas para reeditá-las, perderá a oportunidade de reciclar suas mazelas e misérias emocionais. Por isso, neste capítulo, vou falar sobre alguns dos conflitos, desertos e crises que atravessei.

Muitos jovens se acham ansiosos, irritados, desconcentrados, sem projetos de vida. Eu também era assim em minha juventude. Alguns podem pensar que, pelo fato de ter milhões de leitores em mais de 70 países e ser estudado em várias universidades, andei por caminhos sem acidentes. Não é verdade.

Atravessei desertos emocionais áridos. Durante a travessia de alguns deles, parecia que eu não tinha forças para caminhar. Tinha tudo para não dar certo. Precisei muito das ferramentas citadas neste capítulo, dos sonhos como projeto de vida e de doses elevadas de disciplina para reescrever minha história.

## Minha história

Como conto no livro *Manual dos jovens estressados*, há mais de 30 anos, quando eu fazia o colegial, atual ensino médio, era tão desconcentrado que você podia falar comigo durante dez minutos que eu não ouvia nada. Drogas? Não, eu não as usava. Não queria ser aprisionado por elas, pois minha liberdade não tinha preço. Mas viajava em minha imaginação. Enquanto meu corpo estava na sala de aula, minha mente vagava por aí. Quem vive no mundo da lua hoje está mais próximo do que eu, que vivia em Marte, Vênus, outra galáxia até.

E sabe qual foi a minha nota média final no segundo ano? A segunda da classe. Só que de baixo para cima. Não gostava de estudar, não tinha o que Platão preconizava: o deleite do prazer de aprender.

Meus professores? Não acreditavam em mim. Meus amigos? Achavam que eu não daria nada na vida. Ficaria à sombra dos meus pais, de uma árvore ou de uma ponte. Eu era tão desligado e desmotivado para ir à escola que só tinha um caderno e, mesmo assim, quase sem nada escrito nele. Andava tão desarrumado que até abotoava a camisa errado. As meninas fugiam de mim. Além disso, eu tinha algumas manias. Vivia tapando a testa, que eu achava que tinha um tamanho exagerado, com uma franja. Certa vez, ao sair da escola, em vez de olhar para a frente, fiquei cobrindo a testa e, infelizmente, não vi um poste na calçada. Bati a cabeça e quase desmaiei.

O que me interessava era o prazer imediato. Só queria me divertir: festas, boates, churrascos. O problema não estava nessas coisas. Estava em acreditar que para mim não existia o futuro. Eu não planejava minimamente minha vida. Não sabia onde estava nem aonde queria chegar. E você, sabe?

Certa vez, meus colegas de turma estavam falando sobre seus sonhos, seu futuro, sobre a profissão que queriam seguir. Uns queriam fazer engenharia; outros, direito; outros, pedagogia, administração e assim por diante. Eram todos, como eu, alunos de escola pública. De repente, com a maior ingenuidade, me levantei no meio da classe e gritei: "Eu quero fazer faculdade de medicina!".

Sabe qual foi o resultado? Um profundo silêncio na classe. Não se ouvia nem uma mosca. E, de repente, todos caíram na gargalhada. Foi a piada do ano. Devem ter pensado: "O quê?! O Augusto, o mais desligado da classe, que nem caderno tem, quer fazer faculdade de medicina? Está brincando?". Nesse dia, eu olhei para todo mundo, passei a mão no cabelo e pensei: "Caramba... nenhum apoio! Se depender de torcida, estou perdido, é melhor ficar no banco de reservas!". De fato, há momentos na vida em que não dá para contar com ninguém.

## Virando o jogo: o casamento do sonho com a disciplina

Depois de ter zero apoio emocional, comecei a me questionar com honestidade: "Quem eu sou? O que é a vida? O que espero dela? Quem disse que estou programado para ser um derrotado? Se outros chegaram lá, por que eu não chegaria? Quem disse que não posso superar minhas limitações, estupidez e irresponsabilidade?".

Descobri, ainda que não claramente, uma grande ferramenta: Meu Eu pode e deve ser autor da minha história. Descobri que meus piores inimigos estavam dentro de mim. Eu precisava duvidar das falsas crenças que havia construído: de que não era inteligente, de que não tinha boa memória, de que não tinha futuro, de que não conseguiria resolver minhas mazelas psíquicas. As falsas crenças são cárceres mentais que podem nos dominar a vida toda. Descobrir isso me iluminou.

Você conhece a história dos cem ratinhos que competiam para subir na Torre Eiffel? Após a largada, todos saíram em disparada, mas na subida um falava para o outro: "Vamos cair!", "Não vai dar!", "Vamos morrer!". A maioria despencava após subir 10 metros. Uma minoria conseguiu escalar 100 metros, mas só um ratinho atingiu o topo da torre. Foram entrevistá-lo para saber seus segredos, mas ele não ouvia nada.

Descobriram, então, que um dos fenômenos que o ajudaram a escalar a torre era ser surdo. Os ratos que ouviam os comentários pessimistas dos colegas abriam *janelas killer* que produziam um estado de ansiedade tão grande que escravizava sua ousadia e agilidade, fazendo-os despencar.

Há milhões de seres humanos silenciados, derrotados, não por falta de capacidade, mas por serem escravos das suas janelas traumáticas. Eu tinha diversas janelas que me dominavam: preguiça mental, alienação, sentimento de incapacidade, autopunição.

Mas felizmente descobri outra ferramenta: Toda mente é um cofre. Não adianta arrombá-lo, é necessário usar a chave certa. Intuitivamente, comecei a usar as técnicas para abrir o cofre da minha mente. Comecei a entender que não existem pessoas desinteligentes, mas pessoas que não sabem equipar e exercitar sua inteligência. Mas não tinha projeto de vida. Tudo o que começava não terminava. Foi então que descobri uma das maiores ferramentas para me tornar autor da minha história: sonhos sem disciplina produzem pessoas frustradas, e disciplina sem sonhos produz pessoas que só obedecem a ordens.

Entendi que existe uma gritante diferença entre sonhos e desejos. Desejos são intenções frágeis, sonhos são projetos elaborados com critério e responsabilidade. Desejos de ter bons amigos, de ser bom aluno, de superar a ansiedade, de ser excelente profissional não têm força para suportar o calor dos problemas que batem às nossas portas. Sonhos, ao contrário, são projetos de vida, ganham mais força quando sofremos derrotas ou atravessamos os vales das dificuldades.

Muitos têm desejo de virar a mesa em algumas áreas da vida, mas não elaboram sonhos ou estratégias para se reciclarem. Continuam doentes, ficam aprisionados no cárcere da rotina. Sonhos precisam de disciplina; disciplina precisa de foco; foco precisa de estratégia; estratégia precisa de escolhas; escolhas implicam perdas. O bom dessas ferramentas é que elas estão ao alcance de todos.

## Meu projeto de vida

Depois que descobri a grande diferença entre sonhos e desejos, passei a ser controlado pelo grande sonho de entrar na faculdade de medicina e, de alguma forma, contribuir para aliviar a dor dos outros. Esse projeto me provocou, me empurrou e me levou todos os dias a superar o medo de me expressar, de levantar a mão e tirar minhas dúvidas na classe.

Não importava se os outros zombassem de mim, se minhas perguntas eram banais, eu tinha uma meta e a perseguiria com toda a minha energia mental.

## Sonhos e disciplina

Tal projeto de vida deu combustível à minha disciplina, determinação, transpiração, batalha. Foi então que eu, que nem caderno tinha no segundo ano do ensino médio, passei a estudar mais de 10 horas por dia além do estudo em classe. Tinha foco e usei estratégias diárias para alcançá-lo. Não apenas anotava as aulas, mas considerava fundamental que cada aula dada fosse uma aula estudada. Além disso, passei a revisar as últimas aulas de cada matéria que já havia estudado pelo menos por cinco a dez minutos.

Essas estratégias expandiram meu rendimento intelectual. Desse modo, assimilava as informações, reciclava o aprendizado e saturava minha memória com tudo o que aprendia.

No começo não foi fácil. Não entendia as matérias, sentia sono, fadiga e até irritação. Queria sair correndo do meu local de estudos... Foi então que descobri outra ferramenta fundamental para virar o jogo da minha história: a sorte "acorda" às 6 da manhã – é o casamento da coragem com a oportunidade.

Ao vermos o sucesso de alguém, somos tentados a dizer "ele tem sorte". Não conseguimos ver que, nos bastidores da sua história, houve foco, estratégias e determinação. Muitos nasceram em berço pobre, viveram privações, não tiveram apoio de nada nem de ninguém. Mas usaram suas habilidades mentais para criar suas oportunidades.

Você tem usado as suas?

Quem acredita em sorte e azar como fenômenos estáticos tem grande chance de ser vítima de suas dificuldades, privações, deboches, conflitos, e não autor da própria história.

Muitos filhos de pais ricos ou intelectuais ficaram à sombra deles. Tiveram grandes oportunidades, mas não as aproveitaram para ir longe, para construir a própria história. A "sorte" de terem tudo pronto foi uma armadilha. A herança, os prazeres imediatos e a vida fácil asfixiaram sua disciplina e suas habilidades mentais. Não aprenderam a expor em vez de impor suas ideias, trabalhar perdas e frustrações, debater ideias, correr riscos, ousar, ter projetos de vida, lutar por eles, acordar cedo, ter rotina.

Você caiu nessas armadilhas?

Quando jovem, sentia que minha mente não era privilegiada, minha memória não era um bom armazém de informações. Se quisesse vencer minhas limitações, precisaria acordar cedo, estudar muito, perguntar, provocar minha mente, criar minhas oportunidades, mudar a minha sorte. Foi o que fiz.

Tinha de parar de reclamar de tudo. Tinha de parar de culpar os outros pelos meus fracassos. Tinha de saber que ninguém poderia fazer as escolhas por mim. A decisão era exclusivamente minha. E a decisão não podia ser um desejo superficial; tinha de ser um sonho mesclado com disciplina, capaz de me controlar todos os dias. Se não me controlasse, eu seria um derrotado.

A sorte "acorda" às 6 da manhã – é o casamento da coragem com a oportunidade.

# Capítulo 4

# A dor se tornou minha doce mestra

A decisão de construir meu destino me levou, mesmo sem entender na época, a reeditar as *janelas killer* que me encarceravam. Meu Eu pouco a pouco saiu da plateia, da condição de espectador passivo, entrou no palco da minha mente para dirigir o *script* da minha história.

Foi nesse momento que finalmente entendi outra ferramenta fundamental: Todas as escolhas envolvem perdas. Quem quer ganhar tudo não leva nada. Eu tinha de perder minha vida fácil, irresponsável, dada a festas e sem compromisso com o futuro, para atingir minhas metas maiores. Perder o irrelevante para conquistar o essencial é imprescindível.

*Você consegue diferenciar o irrelevante do essencial?*

Muitos querem conquistar seus filhos, amigos, parceiro(a), mas não reciclam sua impulsividade, irritabilidade e capacidade doentia de julgar, cobrar, diminuir os outros. Nunca os conquistam, pois não sabem perder.

Muitos querem ter saúde emocional, mas não dão nenhuma importância ao seu sono, não treinam relaxar, insistem em ser máquinas de trabalhar, são vítimas da SPA – Síndrome do Pensamento Acelerado (causada pela velocidade excessiva do pensamento, que gera ansiedade, mente agitada, insatisfação, falta de concentração, inquietação, flutuação emocional, cansaço físico exagerado, baixa capacidade para suportar frustrações, entre outros sintomas). Nunca se preocupam em aprender a proteger sua emoção e a filtrar estímulos estressantes. Não sabem fazer escolhas. Serão futuros heróis no leito de um hospital.

Gosto de lembrar Abraham Lincoln, que libertou os escravos na década de 60 do século XIX, mas não impediu que o preconceito continuasse arraigado no inconsciente coletivo de milhões de norte-americanos. Não é fácil reeditar as *janelas killer* quando na educação não estimulamos a nova geração a reeditar suas mazelas e a se tornar autora da própria história. Na década de 60 do século XX, nos EUA, os negros ainda eram discriminados vergonhosamente. Portanto, faltou não apenas mudar a lei, mas também mudar o coração. Faltou unir o sonho da liberdade com a disciplina educacional para mudar a mente das pessoas, principalmente a dos brancos.

## Um grande sonhador: o destino não é inevitável

O líder negro norte-americano Martin Luther King sonhou com uma sociedade livre não apenas na Constituição, mas também no território da emoção. Seu sonho o levou a ter foco, seu foco o levou a traçar estratégias: saía pelas ruas e avenidas das grandes cidades dos EUA proclamando liberdade e igualdade entre brancos e negros. Suas estratégias o levaram a fazer grandes escolhas, e suas escolhas, sabia ele, poderiam levar a significativas perdas. Tinha consciência de que poderia ser morto. E morreu. Mas considerou o sonho da liberdade mais importante do que se esconder. Seu comportamento reescreveu uma importante página da história norte-americana.

Reitero: sonhos precisam de disciplina; disciplina precisa de foco; foco precisa de estratégias; estratégias precisam de escolhas – e todas as grandes escolhas implicam notáveis perdas.

O quanto você está disposto(a) a perder em nome das grandes conquistas determinará seu êxito. Depois de 20 mil sessões de psicoterapia e consultas psiquiátricas e de décadas pesquisando a inteligência humana, estou convicto de que cada ser humano tem habilidades incríveis. Mas poucos as desenvolvem, lapidam, treinam. Uns são torradores de dinheiro; outros, de potencial intelectual. E você? Todos nós devemos entender que o destino não é frequentemente inevitável, mas uma questão de escolha. Muitos querem o perfume das flores, mas poucos sujam as mãos para cultivá-las. Se acreditasse em destino, eu estaria perdido. Todas as minhas circunstâncias externas e internas apontavam para o fracasso. Dois anos depois de seguir essa trajetória, passei da condição de péssimo aluno de escola pública para a de um dos melhores de matemática, química, física. O resultado?

Finalmente entrei em quinto lugar na faculdade de medicina entre mais de 1.500 alunos. Foi uma grande festa! Amei o perfume das flores, mas com humildade aprendi a sujar as mãos para cultivá-las. Os sonhos e a disciplina venceram. Sorri, alegrei-me, festejei, mas não sabia que meus mais áridos desertos ainda estariam por vir.

## A dor nos destrói ou nos constrói

Tudo parecia perfeito na faculdade de medicina, mas no segundo ano atravessei os vales sórdidos de uma depressão. Não sabia que a depressão era o último estágio da dor humana. Não sabia que as palavras eram pobres, toscas para descrevê-la. Sempre fui alegre, sociável, bem-humorado. Minha mãe era uma pessoa encantadora, mas tinha depressão. A relação com meu pai tinha seus conflitos, mas ele era bem-humorado, ativo, dinâmico. Não havia causas significativas no processo de formação da minha personalidade que justificassem tamanha dor emocional. E nem sempre as encontramos. Às vezes, o que existe é uma somatória de pequenas causas.

O que mais justificava meu conflito eram minha hipersensibilidade, hiperpreocupação em agradar aos outros e hiperprodução de pensamentos, que me deixavam sem nenhuma proteção emocional. Chorei sem derramar lágrimas, contraí o sentido existencial, asfixiei meu prazer de viver, minha mente foi assaltada por pensamentos antecipatórios e pessimistas.

Observando meu próprio caos emocional é que entendi mais uma ferramenta: a dor nos destrói ou nos constrói. A maioria das pessoas usa a dor para se punir, se diminuir, se isolar. Quanto a mim, usei-a como minha doce mestra para procurar o mais importante de todos os endereços, um endereço que poucos encontram: dentro de mim mesmo.

Meu conflito me levou a me interiorizar profundamente e a desenvolver a arte da pergunta em seu sentido mais intenso. Perguntava diariamente: Como penso? Por que penso? Qual a natureza dos meus pensamentos? Que vínculos os pensamentos têm com as emoções? Por que sou escravo dos meus pensamentos perturbadores? Quais causas os financiam? Por que não sou livre no território da emoção?

Parecia um maluco tentando entender os fenômenos que me escravizavam. E escrevia tudo. Nasceu ali o escritor e pesquisador. Sem saber, penetrava no mais incrível e complexo dos mundos: a mente humana. Nunca mais parei de escrever, ler, pesquisar. Ao final da faculdade de medicina, tinha centenas de páginas escritas.

## Promover o bem-estar dos outros é um grande sonho

Não há sonho mais belo do que usar a nossa história e a nossa profissão para aliviar a dor dos outros. A verdadeira felicidade se alcança quando irrigamos de alguma forma a felicidade dos outros, pois o individualismo, o egocentrismo e o egoísmo depõem contra a saúde psíquica. Se não tiver esse sonho, uma pessoa pode morar num palácio, ter bilhões de dólares e ser miserável.

Depois de formado, continuei escrevendo motivado por essas metas. E um sonho passou a me controlar: escrever uma nova teoria sobre o funcionamento da mente humana, o processo de formação do Eu como autor da própria história, o processo de construção dos pensamentos, os papéis conscientes e inconscientes da memória e o processo de formação de pensadores. Queria contribuir de alguma forma para a ciência e a humanidade.

Resumindo, foram mais de 25 anos de pesquisa e mais de 3 mil páginas escritas, que resultaram na Teoria da Inteligência Multifocal. Um tempo longo, saturado de aventuras, mas também de fadiga. Mas quem iria publicar um livro tão grande? Outra batalha. Resumi tudo em cerca de 400 páginas e enviei para as editoras. Ingenuamente, pensei que teria apoio.

As respostas demoravam meses para chegar. Após abrir a correspondência, vinha a decepção. Nenhuma editora se interessava em publicar uma teoria densa num país que raramente produz teoria.

Parecia que meus sonhos eram delírios. Mas algo me alimentou: lembrei-me de que quem vence sem riscos triunfa sem glórias. Todas as escolhas envolvem perdas.

## Alguns resultados da união dos sonhos com a disciplina

Anos se passaram e, para não desistir do meu projeto, precisava sempre me lembrar de que, se a sociedade o(a) abandona, a solidão é suportável; mas, se você mesmo se abandona, ela é intolerável. Muitas pessoas que atravessam conflitos psíquicos não os resolvem não porque a sociedade as abandonou, mas porque elas se abandonaram; não porque não têm potencial para reciclar suas janelas traumáticas, mas porque seu Eu não se interioriza nem mapeia seus conflitos, ainda que estejam em tratamento psiquiátrico e psicoterapêutico.

Quanto a mim, não podia me abandonar. Precisava de doses elevadas de sonhos e disciplina. As frustrações continuaram. Entretanto, após um período prolongado, uma editora, a Cultrix, apostou no projeto, e finalmente publiquei o livro *Inteligência multifocal*. O sonho que parecia quase impossível se realizou. Nunca mais parei de escrever.

Permita-me contar com humildade e alegria alguns fatos que se desenrolaram a partir de então, resultado da união dos sonhos com a disciplina.

As 3 mil páginas que escrevi inicialmente resultaram em mais de 30 livros. E, aos poucos, eles começam a ser publicados em todo o mundo. Hoje são cerca de 70 países: EUA, Rússia, China, Coreia do Sul, Itália, Alemanha, Romênia, Sérvia, países da África, da

América Latina e tantos outros. Cerca de 10 milhões de pessoas me leem todos os anos. Alguns dos meus livros, como *O vendedor de sonhos* e *O futuro da humanidade*, serão adaptados em breve para o cinema.

Com base na Teoria da Inteligência Multifocal, lancei nos EUA o *Freemind* (mente livre), para mais de 600 profissionais de vários países, entre eles mestres e doutores da área da saúde e da educação. Vários países já estão se articulando para aplicá-lo. Esse programa para prevenção de transtornos psíquicos contém 12 ferramentas que desenvolvi durante 20 anos – entre elas, como gerenciar a mente, proteger a emoção, filtrar estímulos estressantes, trabalhar perdas e frustrações –, que podem contribuir para prevenir os mais variados tipos de ansiedade. Renunciei aos direitos autorais do *Freemind* para que ele seja usado gratuitamente por todos os povos e culturas.

## Todos têm uma genialidade

Com muito orgulho estudei em escola pública, mas infelizmente, como disse, era a segunda nota da classe de baixo para cima. E, depois de toda essa trajetória, recebi o título de membro de honra de uma academia de gênios da Europa. "Eu, gênio?", pensei comigo. "Como eu engano bem! Nunca tive uma supermemória."

Mas, como autor de uma nova teoria sobre o funcionamento da mente e do desenvolvimento da inteligência, tenho convicção de que, mesmo que não sejamos gênios na perspectiva da genética, ainda que nossa memória não seja excelente nem tenhamos dons privilegiados, podemos desenvolver uma genialidade funcional notável.

Quando você aprende a proteger sua emoção, está sendo um gênio na saúde emocional. Quando você aprende a gerenciar seus pensamentos, está sendo um gênio na administração do estresse. Quando você se coloca no lugar dos outros, está sendo um gênio nas relações sociais.

Sou um eterno aprendiz, um pequeno caminhante que anda no traçado do tempo em busca de mim mesmo.

Contei resumidamente minha história para encorajar você a ter plena convicção de que não há caminhos sem acidentes nem céus sem tempestades. Todos nós tropeçamos, falhamos, atravessamos crises, temos nossas loucuras.

Ninguém é digno do sucesso se não usa seus fracassos para alcançá-lo; ninguém é digno da saúde emocional se não usa suas crises, perdas e frustrações para conquistá-la.

## Cuidado com a autopunição!

As perdas, crises, decepções, traições, humilhações imprimem na memória, por meio do *fenômeno RAM* (registro automático da memória), múltiplas janelas traumáticas, algumas *duplo P* (poder de encarcerar o Eu e poder de deslocar a personalidade e adoecer, mudando a dinâmica da maneira de pensar e sentir). Essas janelas contêm a representação do conflito. Elas nunca são deletadas ou apagadas no córtex cerebral, podendo apenas ser reeditadas. A única possibilidade de deletar a memória é por meio de lesões cerebrais, como traumatismo cranioencefálico, acidente vascular cerebral, tumor, degeneração celular.

Devemos sempre lembrar que, por mais angústias que atravesse, cada ser humano complexo e completo possui habilidades incríveis para proteger a emoção e gerenciar os pensamentos e, consequentemente, reciclar sua história, embora seu Eu não seja equipado e treinado para usá-las. Se utilizarmos as ferramentas descritas no volume *Controle o estresse* desta coleção, especialmente a técnica do DCD (duvidar, criticar, determinar), colocaremos combustível nos sonhos e na disciplina, poderemos transformar uma crise ou recaída indesejável numa oportunidade fantástica para reescrever as *janelas killer* abertas e nos tornaremos autores da própria história.

Volto a insistir: diante de qualquer circunstância, inclusive de recaídas, o Eu deve sair da plateia, entrar no palco da mente e dirigir o *script* da história; caso contrário, os sentimentos de culpa e de autopunição poderão fechar o circuito da memória e considerar que "voltou tudo de novo", autopunindo-se e achando que é um caso sem solução. Esse é um erro terrível que deve ser evitado.

Há psiquiatras e psicólogos notáveis que, por não conhecerem a dança das *janelas light* e *killer* nos bastidores da mente, não preparam seus pacientes para as armadilhas emocionais e para o enfrentamento do caos gerado por crises e recaídas inesperadas e indesejáveis. Por isso, os que estão sob seus cuidados têm poucas ferramentas para transformar o caos em oportunidade criativa, o drama em comédia, enfim, para o Eu se tornar autor da própria história quando o mundo desaba sobre eles. É fácil ter sonhos e disciplina em céu de brigadeiro. O difícil, mas fundamental, é tê-los quando atravessamos os terremotos emocionais e sociais. E cedo ou tarde todos nós atravessaremos. Por isso, é fundamental desenvolver uma das mais nobres funções da inteligência, a resiliência, uma função que poucos líderes, celebridades, milionários e intelectuais desenvolvem. Resiliência é o elo frequente entre a disciplina e os sonhos, assunto abordado no próximo capítulo.

Ninguém é digno
do sucesso se não
usa seus fracassos
para alcançá-lo.

# Capítulo 5

# Resiliência

## Ser resiliente ajuda a enfrentar crises e a superar adversidades

Para finalizar este livro, vamos falar detalhadamente sobre a resiliência e como ela pode nos levar a ser pessoas realizadas e bem resolvidas.

Resiliência é:

- Suportar com dignidade os acidentes da vida.
- Enfrentar contrariedades e manter a integridade.
- Ter plena consciência de que a vida é complexa e, como tal, possui fatos imprevisíveis e inevitáveis.
- Desenvolver flexibilidade diante das adversidades.
- Não culpar os outros pelas derrotas, mas usá-las para expandir a maturidade.
- Transformar o caos em oportunidade criativa e crescer diante da dor.
- Traçar pontes entre os projetos de vida e a disciplina.

Resiliência é um termo da física que tomamos de empréstimo na psicologia para falar de uma importantíssima característica da personalidade. Do ponto de vista da física, resiliência é a capacidade de um material suportar tensões, pressões, intempéries, adversidades. É a propriedade de se esticar, assumir formas e contornos para manter sua integridade, preservar sua anatomia, conservar sua essência.

Transportada para a psicologia, a resiliência é atribuída a processos que explicam a superação de crises e adversidades em indivíduos, grupos e organizações. É um conceito relativamente novo nesse campo, que vem sendo debatido com vigor e frequência pela comunidade científica.

Na Psicologia Multifocal, que tem simultaneamente base analítica e cognitiva e, portanto, ultrapassa os limites da Psicologia Positiva, resiliência é uma das ferramentas mais notáveis da inteligência. E não é possível falar em resiliência sem falar do fenômeno da psicoadaptação, que reflete a capacidade de suportar dor, transcender obstáculos, administrar conflitos, contornar entraves, reinventar-se diante das mudanças psicossociais.

*Você sabe se reinventar? Sabe contornar entraves?*
*Se não souber, poderá causar inúmeros acidentes nas relações sociais.*

O fenômeno da psicoadaptação gera o código da resiliência. O grau de resiliência depende do grau de adaptabilidade e superabilidade de um ser humano aos eventos adversos que encontra em sua jornada de vida. Uma pessoa que tem baixo grau de resiliência suporta inadequadamente suas adversidades, o que pode desencadear depressão, pânico, ansiedade, sintomas psicossomáticos.

Quando o código da resiliência é inadequadamente decifrado e desenvolvido, as dores e as perdas podem levar ao autoabandono e, em alguns casos, gerar ideias de suicídio. Há o suicídio imaginário (desejo de sumir, desejo de dormir e não acordar mais), o suicídio físico (atentar contra o corpo) e o suicídio psíquico, que, às vezes, pode estar refletido no alcoolismo, na dependência de outras drogas e em outros comportamentos autodestrutivos.

Sem dúvida, há "crises" e "crises". Algumas são dramáticas, imprimem dor indecifrável. Mas em todas elas é possível aplicar a ferramenta da resiliência, que, por sua vez, está estreitamente ligada à ferramenta do Eu como gestor da emoção e dos pensamentos, em especial à gestão de pensamentos mórbidos, pessimistas, antecipatórios.

Um choque de gestão no intelecto, capaz de esfacelar o pessimismo e irrigar de esperança os horizontes da vida, é fundamental para alicerçar habilidades psíquicas para suportar tensões emocionais, pressões sociais e adversidades profissionais.

## Seis princípios para nutrir a resiliência:

1. Ninguém é digno do pódio se não usa os fracassos para alcançá-lo.
2. Ninguém é digno da maturidade se não usa suas incoerências para produzi-la.
3. Ninguém é digno da saúde psíquica se não usa suas crises, fobias, humor depressivo para destilá-la.
4. Ninguém é digno da liberdade se não a considera inviolável.
5. Dar as costas para as adversidades é a pior maneira de superá-las.
6. A técnica da mesa-redonda do Eu, debate que fazemos com personagens no teatro da nossa mente, deve reunir nossos pedaços,

manter nossa integridade, debater com nosso desespero, questionar nosso pessimismo, estabelecer estratégias de superação.

## Um Mestre que usou a resiliência para unir sonhos com disciplina

O que é fascinante no discurso do maior educador da história é que ele não pressionava as pessoas a seguir suas ideias. O homem Jesus não usava seu poder para que as pessoas gravitassem em torno dele.

Quando as ajudava, era de esperar que usasse sua influência para transformá-las em seguidoras. Mas ele sempre dizia "não conte para ninguém o que fiz". Ele sonhava em ter alunos livres, e não discípulos com fé cega. São quase incompreensíveis sua maturidade e sua gentileza.

Sua ética era uma poesia que exalava como perfume. Diferentemente da maioria de nós, o que ele fazia com uma mão não alardeava com a outra. Ao contrário de muitos políticos da atualidade que amam proclamar seus feitos na mídia, o Mestre dos mestres pedia o silêncio, amava o anonimato, fazia das pequenas coisas um *show* para sua emoção. Seu sonho era fazer muito do pouco, comprar o que o dinheiro não podia pagar. Ele sabia que o dinheiro compra a cama, mas não o descanso; compra bajuladores, mas não os amigos; compra aplausos, mas não a alegria. Sabia que, para sobreviver na sociedade estressante, não bastava ter cultura, ética, viver um manual de boa conduta – era necessário desenvolver a resiliência.

Tornou-se um fenômeno social sem precedentes, pois era impossível ocultar alguém com sua inteligência, atitudes e oratória. Mas preferia ser discreto. Ele amava o perfume das flores e, como era resiliente, não ficava na teoria: tinha coragem de sujar as mãos para cultivá-las.

Lembre-se da última ceia. Jesus não deveria ter ânimo para ensinar nada, só para se decepcionar com seus discípulos e se preocupar com o terror noturno que atravessaria.

Mas, para espanto da psicologia e da educação, ele gerenciou seu estresse, abriu o leque da sua mente e teve a habilidade de dar lições inesquecíveis aos seus alunos. Ele não se curvou diante da decepção, frustração, negação, traição. Por ser resiliente, jamais abandonou o sonho espetacular de transformar seres humanos toscos e rudes em poetas da solidariedade e da tolerância.

Ele pegou uma toalha e uma bacia de água e abaixou-se aos pés daqueles jovens que o frustravam intensamente. Nunca alguém tão grande se fez tão pequeno para tornar os pequenos grandes. Que estratégia incrível para formar pensadores! Que escolhas inusitadas! Ele estava no auge da fama, mas fez grandes escolhas – queria conquistar o solo árido do psiquismo dos seus discípulos, dar-lhes lições fundamentais. Mas sofreu perdas importantes por causa dessas escolhas. Ele gritou sem palavras que, se quisessem segui-lo, teriam de dar tudo o que tinham aos que pouco tinham. Ele treinou seus discípulos a sonhar com disciplina, pois sabia que não há céus sem tempestades. O maior formador de líderes da história preferiu se sentar nos últimos lugares, num espaço sem honra, para ver seus alunos brilhar no palco.

## Viver é um contrato de riscos

Antes de ser publicado em dezenas de países e ter textos usados como referência em teses de pós-graduação, tive de encarar minha estupidez, reconhecer minha ignorância, lidar com rejeições e descréditos, enfrentar minhas derrotas. Sem resiliência, não teria sobrevivido. Como vimos, era desconcentrado, alienado, sem projeto de vida. Um péssimo aluno. Tive de me reinventar.

Montanhas e vales, invernos e primaveras se sucedem. A humilhação de hoje pode se converter em glória amanhã; e a glória de hoje pode se converter num cálido anonimato. Estamos preparados? Você está? Nada é extremamente seguro na existência humana. Se quisermos desenvolver resiliência e turbinar nossos sonhos e disciplina, deveremos valorizar a vida muito mais do que o sucesso, os aplausos, o reconhecimento social. Tudo é efêmero e passa muito rápido.

Muitos cientistas, antes de fazerem grandes descobertas, foram criticados, excluídos, tachados de loucos. Alguns grandes políticos, como Abraham Lincoln, só tiveram êxito depois de amargar inúmeros fracassos. Alguns grandes empresários só atingiram o apogeu depois de visitar os vales da falência, da escassez e do vexame público.

Quem quer o brilho do sol tem de adquirir habilidade para superar as tempestades. Pois não há céus sem intempéries. Quem sonha com a felicidade inteligente e saudável tem de ser resiliente para atravessar o breu da soturna noite. Não há milagres. A vida é um grande contrato de riscos, saturado de aventuras e de imprevisibilidades. A única certeza é que não há certeza.

## O drama e o lírico: exemplo de líderes resilientes

De todos os materiais, a água é o mais resiliente. Sobe até os céus, desce como gotas de lágrimas, percorre corredeiras, despenca em forma de cachoeiras, cabe orgulhosamente num oceano ou humildemente na circunferência dos olhos. Não resiste aos obstáculos, contorna-os sem reclamar. Deveríamos ser metaforicamente como a água. Caímos, nos levantamos. Somos pisados, contornamos. Somos excluídos, evaporamos, vamos para outros ares.

Mas por não treinarmos o Eu para lidar com as dores e perdas da existência, somos escravos das *janelas killer*. Andamos em círculo, pensando em nossas mazelas, gravitando na órbita das ofensas, crises, dificuldades. Gastamos enorme quantidade de energia desnecessariamente. Somos frequentemente não como a água, mas como o vidro. Forte, duro e rígido, entretanto incapaz de suportar um trauma, que o estilhaça.

*Você é como a água ou como o vidro?*

Quem desenvolve resiliência adocica a vida mesmo que ela tenha sido amarga, torna-se generoso mesmo que tenha sido excluído, contempla o belo ainda que não tenha tido motivos para ser feliz. Julga menos e se entrega mais.

Giordano Bruno, filósofo italiano, andou errante por muitos países, procurando uma universidade para expor suas ideias. Foi banido, excluído, tachado de louco, mas não desistiu de seu projeto de vida. Sem ninguém para ouvi-lo, procurava em seu próprio mundo aconchego para superar a solidão. Experimentou diversos tipos de perseguição, que culminaram na sua morte.

Baruch Spinoza, um dos pais da filosofia moderna, foi banido da comunidade pela convulsão causada por suas ideias. Chegaram a amaldiçoá-lo com palavras insuportáveis de ouvir. O dócil pensador teve de aprender a desenvolver resiliência no mais duro inverno da discriminação.

## Sonhos e disciplina

Immanuel Kant foi tratado como um cão pelo incômodo que suas ideias causavam aos radicais de seu tempo. Voltaire também passou por drásticas rejeições, pressões sociais e inumeráveis riscos. Sem resiliência, seus sonhos teriam se divorciado da disciplina.

Alguns têm fortunas, mas mendigam o pão da alegria; têm cultura, mas falta-lhes o pão da tranquilidade; têm fama, mas vivem sós, sem ter sequer um ombro para chorar; são eloquentes, mas se calam sobre si mesmos; moram em residências confortáveis, mas nunca encontraram o mais importante endereço: dentro de si mesmos. Erraram o alvo.

E você, o que faz?

No livro *Petrus Logus*, trato de uma aventura sobre o futuro da humanidade, em que o jovem príncipe Petrus é humilhado, preso, considerado louco por amar a justiça e desprezar o poder de seu pai, o poderoso rei Apolo. Sua dor nutria sua força. Ele não usou uma varinha mágica, como Harry Potter, para superar suas crises. Ele usou sua inteligência. Foi resiliente!

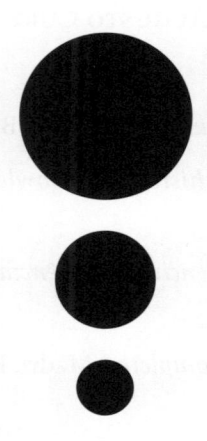

# Referências

ADORNO, Theodor W. *Educação e emancipação*. Rio de Janeiro: Paz e Terra, 1971.

AYAN, Jordan. *AHA!* – 10 maneiras de libertar seu espírito criativo e encontrar grandes ideias. São Paulo: Negócio, 2001.

BAYMA-FREIRE, Hilda A.; ROAZZI, Antônio. *O ensino público é um desafio para todos*: encontros e desencontros no ensino fundamental brasileiro. Recife: UFPE, 2012.

CAPRA, Fritjof. *A ciência de Leonardo da Vinci*. São Paulo: Cultrix, 2008.

CHAUI, Marilena. *Convite à filosofia*. São Paulo: Ática, 2000.

CURY, Augusto. *O código da inteligência*. Rio de Janeiro: Ediouro, 2009.

_____. *Pais brilhantes, professores fascinantes*. Rio de Janeiro: Sextante, 2003.

_____. *Inteligência multifocal*. São Paulo: Cultrix, 1999.

_____. *A fascinante construção do Eu*. São Paulo: Planeta, 2012.

DESCARTES, René. *O discurso do método*. Brasília: UnB, 1981.

DOREN, Charles Van. *A history of knowledge*. New York: Random House, 1991.

FOUCAULT, Michel. *A doença e a existência*. Rio de Janeiro: Folha Carioca, 1998.

FREUD, Sigmund. *Obras completas*. Madri: Editorial Biblioteca Nueva, 1972.

FROMM, Erich. *Análise do homem*. Rio de Janeiro: Zahar, 1960.

GARDNER, Howard. *Inteligências múltiplas*: a teoria na prática. Porto Alegre: Artes Médicas, 1994.

GOLEMAN, Daniel. *Inteligência emocional*. Rio de Janeiro: Objetiva, 1995.

HALL, Calvin S.; LINDZEY, Gardner. *Teorias da personalidade*. São Paulo: EPU, 1973.

HUBERMAN, Leo. *História da riqueza do homem*. Rio de Janeiro: Guanabara, 1986.

JUNG, Carl Gustav. *O desenvolvimento da personalidade*. Petrópolis: Vozes, 1961.

LIPMAN, Matthew. *O pensar na educação*. Petrópolis: Vozes, 1995.

MORIN, Edgar. *Os sete saberes necessários à educação do futuro*. São Paulo: Cortez, 2000.

PIAGET, Jean. *Biologia e conhecimento*. Petrópolis: Vozes, 1996.

SARTRE, Jean-Paul. *O ser e o nada*. Petrópolis: Vozes, 1997.

STEINER, Claude. *Educação emocional*. Rio de Janeiro: Objetiva, 1997.

YUNES, Maria Angela Mattar. *A questão triplamente controvertida da resiliência em famílias de baixa renda*. 2001. Tese (Doutorado em Psicologia da Educação) – Pontifícia Universidade Católica de São Paulo, São Paulo, 2001.

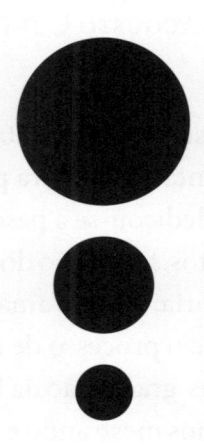

# Sobre o autor

*"A maior aventura de um ser humano é viajar, e a maior viagem que alguém pode empreender é para dentro de si mesmo. E o modo mais emocionante de realizá-la é ler um livro, pois um livro revela que a vida é o maior de todos os livros, mas é pouco útil para quem não souber ler nas entrelinhas e descobrir o que as palavras não disseram..."*

Augusto Jorge Cury nasceu em Colina, estado de São Paulo, no dia 2 de outubro de 1958. É o psiquiatra mais lido no mundo atualmente, professor, escritor e palestrante brasileiro, autor da Teoria da Inteligência Multifocal. Formado em medicina pela Faculdade de Medicina de São José do Rio Preto, fez pós-graduação na Pontifícia Universidade Católica de São Paulo, PUC-SP, e concluiu seu doutorado internacional em Psicologia Multifocal pela

Florida Christian University no ano de 2013, com a tese "Programa Freemind como ferramenta global para prevenção de transtornos psíquicos". Na carreira, dedicou-se à pesquisa sobre o processo de construção de pensamentos, formação do Eu, os papéis conscientes e inconscientes da memória, o programa de gestão de emoção e a lógica do conhecimento e o processo de interpretação.

Cury é professor de pós-graduação da Universidade de São Paulo, USP, e tem vários alunos mestrando e doutorando. É conferencista em congressos nacionais e internacionais. Foi conferencista no 13º Congresso Internacional sobre Intolerância e Discriminação da Universidade Brigham Young, nos Estados Unidos.

Considerado pelas revistas *IstoÉ* e *Veja*, pelo jornal *Folha de S.Paulo* e pelo instituto Nielsen o autor mais lido das últimas duas décadas no Brasil, seus livros já foram publicados em mais de setenta países e venderam mais de trinta milhões de exemplares apenas no Brasil.

No ano de 2009, recebeu o prêmio de melhor ficção do ano da Academia Chinesa de Literatura pelo livro *O vendedor de sonhos*, adaptado para o cinema em 2016, uma produção brasileira com direção de Jayme Monjardim.

O romance é considerado um *best-seller*, com milhões de cópias vendidas por todo o mundo. O filme se tornou também um sucesso de bilheteria e um dos mais visto da Netflix. O livro discorre, de maneira profunda, sobre os problemas emocionais e psicológicos e sobre as angústias da humanidade. Devido a todo o sucesso dessa obra, Cury escreveu duas sequências: *O vendedor de sonhos e a revolução dos anônimos* (2009) e *O semeador de ideias* (2010). Outros livros serão filmados, como *O futuro da humanidade* e *O homem mais inteligente da história*.

A Teoria da Inteligência Multifocal é uma das raras teorias sobre o processo de construção de pensamentos e adotada em algumas importantes universidades. Ela visa explicar o funcionamento da mente humana e as formas para exercer maior gerenciamento da emoção e do pensamento.

É criador da Escola da Inteligência, o maior programa mundial de educação socioemocional, com mais de 400 mil alunos, que promove desenvolvimento emocional de crianças, adolescentes e adultos. Elaborou o Programa Freemind, 100% gratuito, usado em centenas de instituições e clínicas, ambulatórios e escolas, para contribuir com o desenvolvimento de uma emoção saudável para a prevenção e o tratamento da dependência de drogas. Também é autor do Programa Você é Insubstituível, primeiro programa mundial de gestão da emoção para prevenção de transtornos emocionais e suicídios, 100% gratuito, adotado por muitas instituições, como a Polícia Federal e Associação de Magistrados do Brasil. E foi adotado mundialmente por uma nova rede social, a Gotchosen, que está disponível sem custos para todo ser humano de qualquer país! Entre na Gotchosen através do convite do Dr. Cury na bio dele do Instagram!